그래도
조용히
앞을 걷는다

방해련 첫 시집

BOOKK

그래도 조용히 앞을 걷는다

발 행 : 2023 년 12 월 6 일
일저 자 : 방해련
펴낸이: 한건희
펴낸 곳: 부크크
출판등록: 2014. 07. 15 (제2014-16 호)
주 소: 서울시 금천구 가산디지털1로 119 SK 트윈타워
        A동 305 호
전 화: 1670-8316
이메일: info@bookk.co.kr
ISBN 979-11-410-5766-4
ⓒ방해련 2023
문의: hrbang1251@naver.com

그래도 조용히 앞을 걷는다

방해련 첫 시집

내용

책을 펴내며

이제야 인생의 순리를 깨닫고 큰 결심하며 부족하지만, 무료 시집을 출간하기로 용기를 내봅니다.

세상 풍경의 일상 속에서 꿈을 꾸는 파랑새였나 봅니다. 평생 꿈을 위해 보낸 인생의 노을에 접어들어 고속으로 흐르는 시간의 아쉬움에 평소 생각했던 시집을 이제야 우연한 기회에 이렇게 출간하게 되어 감사드립니다.

매 순간 느꼈던 할머니의 큰 사랑에도 불구하고 단 한 번의 인사도 나누지 못한 채 떠나 보내야 했습니다. 그 동안 감사하고 고마웠습니다. 글을 쓰는 내내 할머니를 그리며 시집 한 권을 써 보게 되었습니다. 할머니 감사합니다.

그리고 지금까지 저를 사랑해주신 모든 분들에게도 감사를 전하고 싶습니다. 부크크 출판사 관계자 분들과 가족이 된 새 식구, 가족에게도 감사를 전합니다. 가끔 작업구상으로 여행중 국내여행을 다니며 폰으로 찍은 나만의 사진, 작품, 그리고 일상 생활의 감성을 흘러나오는 대로 적어 본 것들을 조금 다듬어 저의 첫번째 시집으로 소소하게 실어보았습니다.
감사합니다.

노트

해 가는 줄 모르고 엉긴 몸부림은 청초
한 향기로움도 파스텔 은은함도 사라진
숱한 덧 칠로 응어리진 인생의 무게에 솟
구쳐 내디딘 한숨들이 새벽 내내 다 타
스르르 글들이 자판 위에 바위처럼 멈춰
앉아 묵묵히 침묵으로 마음을 바라본다.

2023년 9월 크로키 전에

봄 꿈

새 가족이 된 신부에게 받은 꽃

봉선화 꽃

봉선화 꽃

토담 아래 맑은 미소
어린 잎 한 그루

나그네 뜨거운 볕 쓰다듬고
살포시 내민 손에 왕 사탕은

언덕 위 친구들의 눈동자로
입속에서 나누는 한 조각들

오물 딱 굴러 대는 얼굴과
사탕 맛 달달 함이 정겹다

선홍 빛 불구슬에 두 뺨에
노을도 벗 삼아 물든다

외줄

외줄을 한 마디 걷는다
눈 동그랗게 뜨고

발자국 따라 걷고 웃고
울어준다

산들 바람 구름 타고 강 건너 길을 가듯
온몸에 스며드는 먹구름도 사라지리라

저만치
새벽이 온다

물망초

꽃밭에 숨은 작은 보석

물방울 송알송알 맺혀

하늘처럼 푸르른 꽃잎이

속마음 갈피마다 피어나

살랑살랑 아롱거린다

아름다운 꽃들 속에 작은

율동으로 수를 놓은 꽃잎은

해맑은 어린이의 예쁜 얼굴로

나를 보라며 고개를 끄덕인다

지나가는 해님 달님도

흠뻑 취해 넘어진다

밤비

또 로 록 흐르는 은비녀

메마른 창을 두드린다

산과 들 푸른 푸르름은

은빛 금빛으로 훑는다

까맣게 밀려드는 파도 소리

흠뻑 젖은 가로등 불빛 물결 속으로

등대만 잠잠히 깜박이며 불 밝힌다

4월이 오면

산들산들 부는 바람
4월이라네

벚꽃들이 하늘 스치며
핸드폰도 축제를 연다

웃는 얼굴마다 행복해
간간히 울려지는 방송

새근새근 잠든 쌍둥이 유모차
유모차 바퀴는 아빠 팔뚝만해
힘든 줄 모르고 공원을 지나간다

모란

뜨락에 잔잔한 손놀림
큰 흰 꽃봉오리 할머니

어린 손녀, 저 꽃 이름이 뭐야?
모란이란다

흰 치마저고리 동여매고
옥색 두건 머리에 감으시고

부귀영화 뜻을 가진
모란이란다

붉게 물든 저 봉오리도
모란이란다

저기 큰 꽃봉오리도
모란이란다

너도 꽃처럼 고운
모란이란다

작품 2004

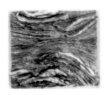

배추꽃 흰나비

달달한 꿀 맛에 날개 펴고 앉아
꿀 따라 파고 든 품 속으로

장다리꽃 하모니카 연주에
쌔근쌔근 잠든다

카메라 찰칵대는 소리에 놀라
아이의 머리 위로 숨었다

하늘 새

철조망 너머 굽어진 하늘은
저리도 청렴하듯 푸른데

장벽이 가린 채 떠도는 돛단배
썰물에 갯벌 게마다 옆으로 간다

담 회색 갈매기 하늘의 비행을 보며
비상의 날개 접어 있느라 우짖는다

흰나비

스치는 풀밭사이
춤추는 나비야

발자국 소리에
어디로 숨어들어

깜빡깜빡
꾸벅꾸벅

접은 날개 펴고 호로록
사뿐히 폴짝폴짝 뜀박질한다

할머니

애틋한 이 마음 보고 싶어

이리저리 살펴보아도 보이지 않아

한없이 불러도 부르고 싶은 이름

옥색 금박 두루마기 고운 자태

생각만 해도 눈물이 맺히고 맺혀

순간순간 눈에 아롱거린다

어느 날 사라진 금비녀 멍하니 찾으며
얼마나 힘들었는지 그 모습 아직도 선하다

그 눈빛 품 그리며 그리워해도
따뜻한 이별 인사 못 나눈 채

저 타향 먼 하늘 그냥 보내 드리고
이토록 가슴 저려 먹먹한 시간

사진 속 생전의 모습 조용히 바라보며
머리 쓰다듬고 사뿐히 내 그림 속에
고이 모신다

작품 2003

봄의 꽃

산수유 유채 밭 벚꽃

꽃들을 한 소쿠리 담아

제주도 비행기에 실어

신혼여행 곳곳마다 심어

두 볼 발그레 물든 봄

행복도 한 가득 담겼다

기도

멀리 들려오는 복음 송

기타에 노래 실어 스민다

살며시 밀려오는 미소

맑은 얼굴 짧아진 기억

잠시 재회를 회상하며

살포시 두 손 모은다

여름 파랑새

플라타너스

연초록 짙은 내음 가로수 길
볕 아래 아스팔트 아지랑이 피고

꼭 감은 두 눈, 맨발로 뛰다 걷는다
뜨거운 발바닥 스미는 아픔은

사라져버린 뿌연 기름 냄새 같다
울먹일 듯 땀방울 흘러내리고

고개 숙인 마음 뉘 볼까 나
슬그머니 멈춘 걸음은

검게 타버린 아스팔트에
힘없이 터벅터벅 다시 걷는다

플라타너스 이파리 처진 어깨를 토닥인다

한강

멀어져가는 눈짓과 바다 건너 가는 마음

가까이 모든 사람과 이별을 예감한다

하나 둘 비우며

애써 돌아서며 미소로 다 잡는다

미루었던 벗에게 챙기지 못한 마음

하나씩 나누며 인사한다

눈물

작은 홀씨 하나에
굳었던 근육이 풀렸을 까

머무는지 흐르는지
목소리로 흐른다

어디가 아팠는지
어디가 아픈지를

너도나도 모르는
슬픔이라고

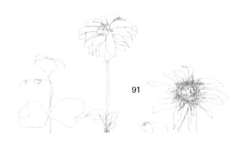

91

매발톱 꽃

부르릉 떠나는 길 언덕을 올라가면

낯설고 무서워서 후두들 떨면서도

울면서 한 발짝 두 발짝 조심스레 다가선다

때로는 원망하고 외로워 슬프지만

산등성 굽이마다 펼쳐진 푸르름이

한 바퀴 휘도는 한걸음 멈추게 하고

보랏빛 작은 꽃 하나 이 마음 멈춘다

메마른 자갈밭을 살며시 비집고 나와

방긋이 안녕이라 인사하고 불 밝히니?

지나온 시간들 온통 꽃밭처럼 환하다

잃어버린 길

천지는 푸른데
홀로 가는 마음

산도
바다도 모르든

조용한 사람이
두려움 없는 너였나?

벼랑 끝
바람이 이끌리는 대로

낙심도 낙상도 아무런 두려움 없이
떨어진 나뭇잎처럼 낮아져

이 순간 지나고 나면
길 밖의 또 다른 길 하나
발길 이끌어 가리라

바람꽃 당신

산들바람 신고 쓸어 담는 앞머리
흰 구름 뜬구름으로 산천을 맴돌고

이리저리 한세월 젊은 청춘 보내고
바람처럼 날라와 한 켠 잡고 누워

타박타박 고갯짓 수레바퀴처럼 돌고
뜬구름 낚시질 터벅터벅 발걸음도

부둥켜안은 마음 하늘까지 닿을까
안으로 움츠린 어깨 쭉 펴고 다시

하얀 종이

어두운 밤 가로등 은은하게 비출 때
저 멀리 기찻길 느릿느릿 지나간다

쪽 머리 마른 몸 흰 적삼 걷어 내민 손
흰 한복 동여매고 흰 속바지 속 주머니에

내민 사탕 세 알과 떡 어린 마음 애잔하다
몽땅 연필에 가득 담은 내 할미 글 솜씨

옹기종기 모여 웃음소리 까마득히 멀어져
부드럽고 넉넉한 할머니 마음 기대고 싶다

시

청초함도 잃고

공허한 빈 손

맑고 고운 가시나무 꽃 어디 매쯤

유리창 가로등 불빛 틈새

겨우내 읊어 나르더니

기도 소리

창문 틈새로

내 안 깊숙이 닿는다

작품 2023

선풍기

여름준비 옹기종기 모여 앉은 아이들
선풍기 들고나온 사납고 매서운 눈썹

말없이 빙그레 웃으며 모인 청춘들이
한 솜씨 뽐내리라 뜯고 뜯어내고 씻어

한여름 가을 맞으며 청소하고 조립한다
척척하며 호탕하게 웃어 넘어지는 목젖은

어린 배 굶주림도 인정 사정없이 베어내고
사악함과 질투심이 정신없이 돌고 도네

깨끗이 씻어 낸 먼지 속에 그리운 얼굴들
여기저기 놓고 시원하게 계절을 선보인다

친구

너는 멋진 찐 친구네

떡 하나 쥐도 잡아먹는 세상천지

깻잎을 두 손으로 봉지에 담고 와서

너캉내캉 어깨동무 손잡고 춤을 춘다

큰소리 작은 미소 호호호 껄껄대며

한가득 기쁨 안고 두 마음 마주한다

막걸리 걸쭉하게 한마음 나누면서

세상사 덧없다며 주고받는 쓴 소리

이 모두 이별처럼 아리다 노래하며

정답고 풋풋한 너 변함없는 찐 친구네

산비둘기

조용한 산 숲 사이 어디선가 울음소리
명상의 길을 걷는 걸음마다 따라오네

이리저리 둘러보며 우뚝 서 멈춰보니
구 꾸꾸 구구 꾸꾸 알리는 새 한 마리

작은 깃털 사이 가만히 귀 기울여 보면
평화로운 자연의 소리 안정감을 주고

짙은 잿빛 부드러운 날갯짓 따라가
따뜻한 눈짓 보내니 세상이 환해지고

총총히 별빛 스며드는 공원 나뭇가지에 앉은
하루를 잠재우려 깃을 접은 비둘기를 본다

안개꽃

흔들거리는

하얀 빛 물이 번질 때

저 멀리 흐드러진

알 수 없는 꽃들 사이

그림자 일렁거려 생시인지 꿈결인지

한 숨 들이 키며 바라보는 허공

언제 오시려 나 보고 싶은 부모님

콩알

통통 작은 몸집 까만 밤
네 이름 두 글자

이리저리 튕겨 가는 작은 몸
하얗게 커져 버린 강냉이

작고도 귀여운 검은 콩
큰 힘 만들어 씩씩하게 살아가네

연지(連枝)

연이어 차갑게 부는 칼 바람
앙상한 가지마다 휘어 감는다

흩날리는 치맛자락 앙상해
등줄기 바위 뒤 달도 여원

구석에 구겨져 던져진 달도
새벽녘 달빛은 꼿꼿하다

꽃 사슴 오선지에 내려놓고
초롱초롱 눈부신 두 눈망울

금색 빛 찌그러진 주전자에
한가득 추억으로 정을 나눈다

살며시 오소소

오색
다홍 실을 감고

노을
금실 물결 일 때

꿈 같은
금화 가득 실어

향연
짙은 마당으로

가을 희망

가을

스르르 스며드는 가을바람
들녘에서 다가오는 갈잎 흔드는 소리

빈 뜰에 가지런히 놓인 검정 고무신
새 님 소식 맞을 옷 곱게 단장을 하고

물들인 나뭇가지 숲에서 초롱초롱한
눈빛을 타고 우리를 반긴다

벼 이삭 출렁일 때 익어가는 황금 물결
논에도 들에도 귀뚜라미 소리 들려온다

유적지에서

푸르른 잔디마당 숨결이

쪼르륵 금붕어 떼로 모여

가을을 집히러 모여든다

호로록 부서지는 낙엽

빨갛게 오므라진 단풍잎

아이의 손등 다섯 손가락

어사화

담쟁이 줄기마다 나팔처럼 모양 진

주홍 색 댕기 달고 덩굴 타고 앉았다

사방에 피고 지고 여름도 식혀지고

지나는 사람마다 양반 꽃 미소 핀다

정갈한 기와 담장 주홍빛 물들여진

눈길에 걸음걸음 넋 잃고 바라보고

한 소절 외마디 바라본 옛 모습이

하늘이 저만치 서 그리움 진해진다

작품 2018

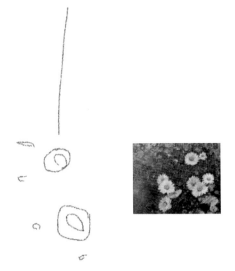

비

단백 한 글자 속에 꿈꾸며 높이 춤춘다
푸르른 하늘마다 총성이 비상을 하며

내리는 산마다 고운 결로 살아 움직이고
민통선 철쭉들도 살짝 하늘을 간지럽힌다

북극성 반짝이는 별이 돼 나부끼는 전우도
야전 병 혼들이 지뢰밭 함성들이 들리면

오색 잎 봉우리도 하늘 위 장벽 따라 줄지어
산등성 허리마다 짧은 한숨으로 피어난다

임진강

적벽가 한숨인가 출렁이는 저 강물
구슬피 우는 소리 차라리 고요하다

포연의 아픔도 실낱 같이 실어내고
진달래 산천마다 만개한 젊은 혼아

칠흑의 서슬 푸른 어둠도 강물에 띄워
물속에 비친 소나무 참나무숲에 덮어두어

장단 석벽 주상절리 펼쳐진 병풍인가
물결 위 넘나드는 아이들 웃음소리

황포 돛배 타고서 포토존 즐기는데
장강에 재두루미 날개 펴 나르고 있다

얼굴

물안개 흔들거리는
보랏빛 물이 번질 때

저 멀리 흐드러진
알 수 없는 꽃들 사이

어머니 그림자 일렁거려 생시인가 꿈이든
언제 오시려 나 보고 싶은 그 모습

산새들 지저귀는 귀여운 아이들은
어디로 가버렸나 기다리는 물망초

율곡유적지

하늘의 푸르름이 나뭇잎마다 물들고
벼와 단풍잎도 고운 물결로 눈부시다.

입구에 들어가자 반기는 두 스승의 동상
천년을 뻗어 온 향기인가 목례로 지나

자운 산 기슭 강인당 들어서니 오백 년 된
버드나무 두 그루 떡하니 지키고 있다

마루에 책상 오가는 글 읊는 소리 가득해
만인의 어머니 신사임당 품으로 덮는다

7개월만의 외출

백일홍 길가에 양팔을 펴고 쭉 뻗은
편한 길을 옆에 두고

미련스레 험난한 길 고집 통에
한숨 삼켜 쉬며

회색 빛 비탈 굽이굽이 굽은 길 가니
답답한 가슴 끝이 없어 지난 시간

펼쳐진 들판 사이 코스모스 길게 있고
가을 하늘 잠시나마 마음을 정화케 한다

복잡한 무거운 생각도 남들의 입방아도
싫다며 손사래 치고 고개 흔들어 보이고

나선 긴 길 가에 백일홍, 금잔화, 코스모스
노랗게 익어가는 가을 콩잎처럼 물들었다.

재두루미

평화를 죽을 때까지 외칠 것 같았던 몸 덩이
조금씩 거칠게 물고 뜯는 평화는 남보다 다른

평범함 그토록 그리며 외치던 평화 존은
재처럼 시커멓게 타 들어 간다

통일의 염원으로 기다림에 지친 긴 모가지
민통선 철조망 사이 거닐며 무엇을 찾고 있나

날갯짓 사이사이 펼쳐진 장벽들도 허물 덮고
철새도 겨울이면 찾아 드는 붉은 은방울

오묘한 은빛 날개 펴고 비상하는 고고한 자태
어두운 터널 속 적막을 깨고 비상하는 춤사위

길

외딴길 돌아누운 산기슭 아래

주홍 등 주렁주렁 홀로 감나무 기와집

그 누구도 그 무엇도 없이 덩그러니 혼자

취한 듯 맥없이 혼자 걷는다

초연히 느슨한 마음 이대로

새벽잠 두고 새벽기도 나선다

조용히 흐르는 강

귀뚜라미 울어대는 가을밤

적막을 깨는 소리

덧없는 세상 가슴 쓰다듬으며

비몽사몽 걷어져 가는 꿈 안개 속으로

홀연히 헤매고 도는 흐르지 못한 물레방아

조용히 바다로 흐르는 강이라도 되고 싶다

오징어 배

검푸른 깊은 수평선 등대 벗을 삼고
저 멀리 하늘이 어디인지 낮빛 붉다

동 동동 떠다니는 작은 배 하나 둘
밤이면 날마다 새하얀 빛으로 갈아입고

이리저리 떠돌며 걷어 올리는 거친 숨
움직이는 파도들도 새하얀 이끼 끼고

회오리 되어 휘감은 그물망 가득 차고
펄럭이는 물결 아침 석양이 밝아온다

깊어 가는 종소리

한적한 산사에 조그만 풍경
대롱대롱 매달려 하늘도 맑구나

숨 가삐 돌아온 길 뒤 뜰에 앉아
정성스레 가꾼 정원 한없이 바라본다

여기저기 걷는 걸음 천천히 걷고 걸어
깊은 언덕 올라서니 울려 퍼지는 울음소리

한 많은 어느 스님 어느 보살 한숨인지
깊은 한숨 들이켜며 우렁차게 울려진다

손

까르륵 잔디마당 비눗방울

바람 타고 동동 떠다닐 때

붉게 물든 단풍잎

하나, 둘, 셋, 넷, 다섯, 손가락

가을 노래하는 잎들이

사르르 부서지며 지나가네

피로감

엉기는 말투 속에 부담된 언어들이

싫다고 할 수 없어 뿌리쳐 모른 척

다 잊고 씻어내며 뿜는 샤워기는

어떻게 뜨거운 물 찬 물로 씻어내지

헹구어 씻어낸 물체에 피로감 밀린다

쓸어버리고 개운해진 상쾌함은 잠시

또 얼마나 많은 말들을 쏟아낼까?

겨울 비상

혼례

앞뜰에 민속촌은 잔치 꽃 마당이다
언제나 방긋방긋 웃는 해맑든 아이

춤추고 노래하는 민속마당 놀이터에
사람과 사람들이 사랑 꽃 행복 주고

동네 친구의 속 풀이 들던 장터에서
막걸리 처음 한 묶음 적시든 배움 터

시작의 풍물 소리 기러기 돌려지고
교 배례 사모관대 활옷과 족두리

청실 홍실 한데 묶어 한 삼에 늘어뜨려

신랑 신부가 알콩달콩 건강과 행복을

한마당 청사 초롱 불 밝혀 축복한다

여명

잿빛 어둠을 뚫고 나타나는 저 빛은
어제 내린 비를 잠재우고 아침을 연다

스멀스멀 걷어지는 안개는 여운을 남기고
병풍 같은 하얀 건물들이 까만 밤을 걷어간다

또렷한 형체는 각양각색 모양으로 다가서고
짙은 안개는 사라지고 고요한 아침을 맞는다

눈

짙은 잿빛 하늘은
깃털을 선명하게 하고

날아다니는 깃털마다
나를 축복한다

뒤엉킨 생각의 갈피를 오가며
몸부림친 지난 시간

한순간에 사라진다
이것이 삶의 한 부분이던가

잠깐 순간에 큰 희열을 갖고
내일을 꿈꾸어 본다

이젠 괜찮아 다짐하며
더 큰 세상을 발돋움한다

품

색동저고리 예쁘게 갈아입고

큰언니 등에 편안히 업혀

빨 주 노 초 색동 품 그린다

막내 고모 품속에 놀고

곱게 수 놓은 따뜻한 주홍 삼촌

초록색같이 편안한 할머니

활짝 웃던 아버지 얼굴

작은 언니 생글생글 웃음으로 답한다

외침

자줏빛 독방 통 유리

벽면 앞에 홀로 서서

흩어져 내리는 자판들을

잿빛 편지지에 모아본다

도심에 사면 유리 벽은

두둥실 날갯짓하며

뽀얀 새털이 되어

바람 따라 내린다

나도 모르게 움직이는

하얀 깃털에 동화된다

피고 또 지고

선인장 봉오리마다 안고 지닌 가시들

네 몸이 아닌 듯 부풀러 앉아 핀 꽃

아침이면 하얗게 빨갛게 멋지게 피어나

언제 인양 숨죽이고 조용히 숨만 쉰다

살짝 피고 지고 또 피는 아름다운 자태

어디도 찾아볼 길 없이 묵묵한 푸름은

송골송골 가시 돋고 바라보는 길손들이

언제 면 또 필 꽃들인지 어디 물어보게

스쿠프

부릉부릉 존재를 알리며 고불고불

무엇을 실어 구름도 걷어 가는지

희미 해져가는 빛 속으로 사라진다

하늘 친구 산 친구에게도 물어본다

깜박이는 외눈으로 여인의 향기타고

이별처럼 아스라이 사라져가 버렸다

훨훨~

툭툭 툭 눈물 안고 떨어진 낙엽

바스락 은행알 낙엽 밟힌다

누른 푸른 볕 빛 물든 꽃들이

기찻길 집 담장에 나란히 단아하다

춤추며 노래하는 나비 떼도

잠자리도 마중나와 바짝 따른다

못 내

가든 길 서러워도
못내 가는지

바들바들 떨며
가고 있구나

아무도 눈길 없는
큰 숨 한번 시어보려

한때 머물 시린 고통
그래, 잠시라 생각하고 쉬어 가자

스쳐 지나갈 바람일 뿐

떠도는 구름처럼 모두 다 보내 놓고

사막을 힘차게 낙타처럼 걷는구나

무일푼 텅 빈 손 억 하게 억울해도

초연히 유구무언 멍하니 눈만 껌벅

말없는 아다다로 빗겨 가는 시간

꿈 같은 지난 상흔 사뿐히 지어 밟고

내일, 내일을 외치며 희망을 안고 섰다

지나가는 새들도 울먹이며 지나간다

작품 2005

행복한 여인

신들이 응원하는 얼음 꽃 빙하에서

둘이서 비행하는 눈꽃 속 한 쌍 본다

네팔과 알래스카 인도로가 내일은 로마로

사막엔 낙타 없이 사하라도 메고 가

여행의 달콤함에 번민도 사라진 잊어진 계절

너 만을 위한 행복한 기행이다.

꽃입니다

어여쁜 줄기마다 꽃 노래 한가득 해

연둣빛 초록 잎을 열 가지 뿜어내고

줄기에 가지 따라 라일락 향기 필 때

뒤돌아 저만치 서 옷고름 적시 운다

그리워 어야 둥둥 서울 간 막내동생

새소리 물소리도 못 듣는 꽃 이어라

시집 해설

순수한 영혼의 광채

정 성 수(丁成秀) - 문학평론가,

방해련 시집 〈그래도 조용히 앞을 걷는다〉는
시화(詩畵)를 겸한 화가의 첫 시집이다. 한마디
로 말하자면 첫시집답게 시의 영혼과 육신이
따뜻하고 청순하다. 그림으로 비유하자면 해맑
은 광채가 빛나는 수채화라고 나 할까...?
 티 없이 순수한 서정과 진솔한 표현 전개가
대단히 인상적이다. 옛 선비의 품위 있는 자태
를 고즈넉이 바라보는 듯한 느낌이다. 지난 조
선시대에는 시서화(詩書畵)가 하나였으니, 어찌
보면 지극히 자연스러운 현상이기도 하다. 시나
그림이나 모두 다 한 예술가의 영혼과 감성의
표현이므로 언어예술작품과 미술작품은 바로
그 시인이나 화가의 아름다운 분신, 또는 예술
적 영상의 총천연색 화폭이다.

시적 언어의 절제 또한 요즘같이 횡설수설 장광설을 늘어놓는 과잉표현의 범람 속에서 오히려 깨끗하고 신선하다. 시적 운율도 거의 정형시에 가까 우리만큼 자유시로서는 매우 강한 유율을 살려내고 있다. 자유시 로서의 내재율이 알게 모르게 점차 사라져가는 시대에 시로서의 운율을 역동적으로 활성화시키는 것은 대단히 소중한 작업이 아닐 수 없다.

보편적 일상사, 혹은 특별한 사건 등을 통한 인간으로 서의 사랑과 역사적 통찰은 이 시집을 보다 따뜻한 휴머니즘의 밀실로 독자를 이끌어준다.

다음 시를 살펴보자.

어여쁜 줄기마다 꽃 노래한 가득해
연둣빛 초록잎 열 가지 뿜어내고

줄기에 가지 따라 라일락 향기 필 때
뒤돌아 저만치 서 옷고름 적시 운다

그리워 어야 둥둥 서울간 막내동생
새소리 물소리도 못 듣는 꽃이 어라

-⟨꽃입니다⟩ 전문

제1연, '어여쁜 줄기마다 꽃 노래 한가득 해/
연둣빛 초록 잎 열 가지 뿜어내고'에서는 라일
락 가지들이 뿜어내는 수많은 초록가족들의 사
랑을 노래하고, 제2연, '줄기에 가지 따라 라일
락 향기 필 때/뒤돌아 저만 치서 옷고름 적시
운다'에서는 라일락 꽃이 만발해 꽃 향기가 사
위에 폭풍처럼 소용돌이칠 때, '저만 치서' 동생
이 그리워 눈물을 닦아낸다. 라일락 꽃 향내를
맡으며 함께 어울려 살던 사랑하는 동생이 고
향 집을 떠난 지 이미 오래.......!
제3연, '그리워 어야 둥둥 서울간 막내동생/새
소리 물소리도 못 듣는 꽃 이어라'에서는 막내
동생이 고향의 새소리 물소리도 못 듣는 타향
땅 서울에서 한 송이 꽃처럼 고독하게 사는 걸
그리워하고 안타까워하는 언니의 애틋한 감성
을 노래한다.
향내 짙은 라일락 꽃을 매개체로 한 자매간의
따뜻한 사랑이 우아한 고전적 향취를 자아낸다.
다음 시를 살펴보자.

113

너는 멋진 찐친구지
떡 하나 줘도 잡아먹는 세상천지

깻잎을 두 손으로 봉지에 담고 와서
너캉내캉 어깨동무 손잡고 춤을 춘다

큰소리 작은 미소도 하하 호호하며
한가득 기쁨 안고 두 마음 마주한다

막걸리 걸쭉하게 한마음 나누면서
세상사 덧없다며 주고받는 쓴 소리

이 모두 이별처럼 아리다 노래하며
정답고 풋풋한 너 변함없는 찐 친구네

-〈친구〉전문

친구 사이의 따뜻한 우정을 노래한 시. 제1연
에서 '너는 멋진 찐친구지/떡 하나 줘도 잡아먹
는 세상천지'라고, 옛날과 달리 떡 하나 주어도
사람을 잡아먹는 살벌한 세상 속에서 너는 멋
진 진짜 친구라고 찬양한다.

그 친구가 제2연에서는 '깻잎을 두 손으로 봉지에 담고 와서/너캉내캉 어깨동무 손잡고 춤을 춘다' 그야말로 서로 허물없이 가깝고 다정다감한 친구 사이이다.

제3연에서 '큰소리 작은 미소도 하하 호호하며/한가득 기쁨 안고 두 마음 마주한다' 라고 두 사람 사이의 따뜻한 우정을 보다 구체적으로 표현한다. 제4연에서는 '막걸리 걸쭉하게 한 마음 나누면서/세상사 덧없다며 주고받는 쓴소리' 라고 술 한 잔 나누면서 세상일을 허심탄회하게 나누는 솔직하고 순수한 장면을 노래한다.

마지막 5연에서는 '이 모두 이별처럼 아리다 노래하며/정답고 풋풋한 너 변함없는 찐 친구' 라고 이 모든 사연들을 쓸쓸한 이별처럼 아리다고 주고받는 진정한 내 친구라고 노래한다.

이 정도의 친구라면 가히 한평생 서로 신뢰할 수 있는 멋진 친구가 아닐 수 없다. 살기 어려운 시대의 우정 가가 사뭇 따뜻하다.

다음 시를 살펴보자.

시골 뜨락 할머니
큰 흰 봉오리 앞에 앉아

어린 손녀, 저 꽃 이름 뭐 야?
모란이란다

흰 치마저고리 동여매고
옥색 두건 머리에 감으시고

부귀영화 뜻을 가진
모란이란다

붉게 물든 저 봉오리
모란이란다

저기 큰 봉오리도
모란이란다

너도 꽃처럼 고운
모란이란다

-〈모란〉 전문

이 시집에서 비교적 긴 편인 7연으로 씌어진
시. 할머니와 어린 손녀가 주고받는 대화체 형
식의 꽃시. 손녀에 대한 할머니의 지극한 사랑
이 손에 만져질 듯 따뜻하다.

제1연~ 제2연에서 '시골 뜨락 할머니/큰 흰
봉오리 앞에 앉아//여린 손녀, 저 꽃 이름 뭐
야?/모란이란다' 라고 시골 뜨락 크고 흰 꽃봉
오리 곁에서 할머니와 손녀가 꽃 이름을 묻고
대답한다. 모란꽃, 그 자체만 해도 무척 아늑하
고 아름다운 장면인데, 이 이야기는 더 계속된
다.
제3연~ 제4연에서 할머니는 '흰 치마저고리
동여매고/옥색 두건 머리에 감으시고//부귀영
화 뜻을 가진/모란이란다' 라고 모란에 대해 보
다 상세한 설명을 해준다. 여기에서 중요한 건
한세상 '부귀영화'를 누리고 싶어하는 모란의
꿈이다. 즉 다시 말하자면 할머니의 꿈.

제5연~제7연에서 '붉게 물든 저 봉오리/모란

이란다//저기 큰 봉오리도/모란이란다//너도 꽃처럼 고운/모란이란다' 라고 손녀딸이 고운 모란처럼 한평생 멋지게 부귀영화를 누려 주기를 축수한다. 말하자면 손녀를 사랑하는 할머니의 간절하고 애틋한 기원의 노래가 아닐 수 없다.

　　다음 시를 살펴보자.

-〈혼례〉 전문
　　앞뜰에 민속촌은 잔치 꽃 마당이다
　　언제나 방긋방긋 웃는 해맑든 아이

　　춤추고 노래하는 민속마당 놀이터에
　　사람과 사람들이 사랑 꽃 행복 주고

　　동네 친구의 속 풀이 들던 장터에서
　　막걸리 처음 한 묵음 적시든 배움 터

　　시작의 풍물 소리 기러기 돌려지고
　　교 배례 사모관대 활옷과 족두리

청실 홍실 한데 묶어 한 삼에 늘어뜨려

신랑 신부가 알콩달콩 건강과 행복을

한마당 청사 초롱 불 밝혀 축복한다

전통 결혼식을 노래한 작품.

　제1연에서 '앞뜰에 민속촌은 잔치 꽃 마당
이다./언제나 방긋방긋 웃는 해맑든 아이/사람
과 사람들이 웃음꽃 활짝 피워/춤추고 노래하
는 아이들의 놀이터' 라고 시골마당에서 펼쳐지
는 흥겨운 결혼축제를 노래한다. 신랑신부 가족
들도 구경하러 온 이웃들도 여러 아이들도 모
두 다 덩달아 즐거운 마을 잔칫날이다.

　제2연에서 '친구네 속 풀이 듣던 장터에서/
이웃과 막걸리 역사를 듣고 처음 한 모금 마시
며 전을 먹는다' 라고 장터에서는 삶의 노고를
풀며 유쾌하게 막걸리 마시는 법을 배우는 정
겨운 이웃사랑 풍경을 노래한다.

제3연~4연에서는 '시작의 풍물소리 기러기 돌려지고/교 배례 사모관대 활옷과 족두리//청실 홍실 한데 묶어 한 삼에 늘어뜨려/한마당 청사초롱 불 밝혀 축복한다. ' 라고 신랑 신부 결혼

- 3 -

예식의 하나로 신랑은 사모관대를 하고 신부는 족두리를 쓰고 청실 홍실을 하나로 묶어 늘어뜨리고 청사 초롱에 불을 밝혀 처녀 총각 두 사람이 치르는 오늘의 뜻깊은 결혼을 함께 축복해준다. 고전적 결혼식은 현대식 결혼식에 비해 무게감이 있고 대단히 정중하고 아름답고 맛깔스럽다.

　　다음 시를 살펴보자.

한적한 산사에 조그만 풍경
대롱대롱 쳐다보니 하늘도 맑구나
숨 가삐 돌아온 길 뒤뜰에 앉아
정성스레 가꾼 정원 한없이 바라본다

여기저기 걷는 걸음 천천히 걷고 걸어
깊은 언덕 올라서니 울려 퍼지는 울음소리

한 많은 어느 스님 어느 보살 한숨인지
깊은 숨 한숨 들이키며 우렁차게 울려진다
-〈깊어 가는 종소리〉 전문

  절(사찰, 사원, 산사)은 대개 고요한 산속에 자리잡고 있다. 아마도 복잡다단한 속세를 등진 공기 맑고 물 맑은 대자연 속에서 스님들이 수도하고 명상하고 자신을 가다듬기 좋은 환경이기 때문이리라.

  제1연에서 '한적한 산사에 조그만 종/대롱대롱 쳐다보니 하늘도 맑구나/숨가삐 돌아온 길 뒤뜰에 앉아/정성스레 가꾼 정원 한없이 바라본다' 시적화자(퍼스나)는 지금 속세를 떠나 한적한 산사에 와있다.
  산사 처마 밑에 매달린 작은 종을 바라보노라니, 그 뒤에 광활하게 펼쳐진 하늘이 바다처럼 맑고 푸르다. 숨가쁘게 살아온 인생의 뒤안길에서 잠시 산사 뒤뜰에 앉아 그동안 스님들이 정

성껏 가꾸어 놓은 정원을 오래오래 마음의 눈을 뜨고 바라본다,

제2연에선 '여기저기 걷는 걸음 천천히 걷고 걸어/깊은 언덕 올라서니 울려 퍼지는 울음소리'라고 산사 뒷산 언덕을 오르는 시적화자의 심사를 노래한다. 여기저기 휘돌아 나가는 좁은 산길을 걸어 높은 언덕 위에 올라서자 때마침 산사에서 울려 퍼지는 종소리가 누군가의 울음소리처럼 슬프게 울려온다. 아마도 속세를 떠나기 전까지 겪은 스님들의 여러 가지 생의 아픔을 떠올렸으리라.

제3연에서는 그 종소리를 '한 많은 어느 스님 어느 보살 한숨인지/깊은 숨 한숨 들이키며 우렁차게 울려진다'라고 종소리가 속세를 떠나기 전 세상사 속에서 한이 많았던 어느 스님이나 보살의 한숨처럼 깊은 숨 한숨 들이키며 우렁차게 사방으로 울려 퍼진다. 산사의 종소리를 스님이나 보살의 쓰라린 한숨소리로 듣는 시적화자의 따뜻한 휴머니티가 아름답다.

다음 시를 살펴보자.

담쟁이 줄기마다 나팔처럼 모양 진
주홍색 댕기 달고 덩굴을 타고 올라

사방에 피고 지고 여름도 식혀지고
지나는 사람마다 양반 꽃 아첨 떠네

정갈한 기와 담장 주홍빛 물들여진
눈길에 걸음걸음 넋 잃고 바라본다

한 소절 한 마디 씩 바라본 옛 모습아
하늘에 저 만치서 그리움 진해지네

-〈어사화(능소화)〉 전문

어사화는 조선시대 과거에 급제한 사람에게
임금이 하사하는 종이 꽃. 이 시에서는 능소화
를 어사화로 상징. 제1연에서 '담쟁이 줄기마다
나팔처럼 모양 진/주홍 색 댕기 달고 덩굴을
타고 올라' 라고 담쟁이 덩굴 타고 길게 퍼져
나가는 나팔처럼 생긴 주홍색꽃을 노래하고. 제

123

2연에서는 ' 사방에 피고 지고 여름도 식혀지고/지나는 사람마다 양반 꽃 아첨 떠네'라고 사방에서 피어나는 어사화를 지나가는 사람들이 바라보며 양반 꽃이라고 부르며 아첨을 떤다고 노래한다.

　제3연에서는 '정갈한 기와 담장 주홍빛 물들여진/눈길에 걸음걸음 넋 잃고 바라본다'라고 정갈한 기와 담장을 타고 주홍빛으로 물들여진 어사화를 넋 잃고 바라보는 행인들을 노래한다. 임금이 장원급제한 사람에게만 하사하는 특별한 꽃이라 지나가는 행인들이 모두 부러운 눈으로 바라보는 것.

　제4연에서는 '한 소절 한 마디 씩 바라본 옛 모습아/하늘에 저만 치서 그리움 진해지네'라고 과거시험이 끝난 뒤 장원급제자가 어사화를 머리에 꽂고 축하 풍악소리 사이를 걷던 옛 시절을 생각하니, 그때 그 시절에 대한 아련한 그리움이 사무치게 된다고 노래한다.
　다음 시를 살펴보자.

적벽가 한숨인가 황포돛 노를 저어
적막한 고요함에 구슬피 우는 물은

여울목 넘나드는 선착장 아이들도
고랑포 황포돛배 타고서 포토존 즐겨

포연의 아픔도 실낱같이 실어내고
진달래 산천마다 만개한 젊은 혼아

칠흑의 서슬푸른 어둠도 강물에 띄워
상류에 소나무 참나무 숲속으로 덮어다오

장단석벽 펼쳐진 병풍인가 세워진 주상절리
장강에 재두루미 날개 펴듯 나르고 싶다
-〈임진강〉 전문

- 5 -

  임진강은 북한 황해도에서 남쪽 경기도 파주
등을 거쳐 한강으로 유입, 황해로 흐르는 강. 5
연으로 이루어진 자유시. 이 시의 역사적 배경
은 동족상잔의 민족적 비극인 북한의 기습남침
6.25사변이다.

1연에서 '적벽가 한숨인가 황포돛 노를 저어/적막한 고요함에 구슬피 우는 물은' 라고 남북전쟁 6.25사변으로 인해 붉은 피로 물들여졌던 임진강의 고요함 속으로 흐르는 민족적 슬픔을 노래한다.

제2연에서는 '여울목 넘나드는 선착장 아이들도/고랑포 황포돛배 타고서 포토존 즐겨'라고 전쟁의 포연이 사라진 지금 고랑포에서 여러 아이들이 황포돛대 달아올린 배의 포토존에서 즐겁게 사진을 찍고 노는 평화로운 정경을 노래한다.

제3연에서는 '포연의 아픔도 실낱같이 실어내고/진달래 산천마다 만개한 젊은 혼아'라고 피 흘리는 전쟁의 상처도 씻어낸 산천 곳곳에 젊은 용사들의 혼이 진달래꽃처럼 펼쳐져있다.

제4연에서는 '칠흑의 서슬푸른 어둠도 강물에 띄워/상류에 소나무 참나무숲속으로 덮어다오'라고 전쟁의 쓰라린 고통도 슬픔도 강물에 띄워서 소나무 참나무숲으로 그 아픈 흔적을 모두 다 덮어달라고 노래한다.

제5연에선 '장단석벽 펼쳐진 병풍인가 세워진 주상절리/장강에 재두루미 날개 펴듯 나르고 싶다'라고 고랑포 장단에 서있는 주상절리 석벽이 병풍처럼 펼쳐져 있는 임진강 위를 한 마리 재두루미처럼 날개를 활짝 펴고 힘차게 날아가고 싶다고 노래한다.

6.25사변 당시 수많은 남북 병사들의 피를 씻어낸 임진강은 아직도 남북통일이 요원한 대한민국 땅 위로 무심한 시간처럼 말없이 흐르고 있다.

방해련 시인이 첫 시집에서 보여준 이처럼 아름다운 순수서정이 넘쳐나는 따뜻한 감성의 축제가 앞으로 더욱 큰 시의 날갯짓으로 저 광활한 시간과 공간 사이로 높고 멀리 펼쳐 나가게 되기를 빈다.

울 날의 칠읍산자락에서

축사

정 성 수(丁成秀) – 문학평론가,

방해련 시인의 첫시집 상재를 축하합니다.

화가이기도한 방해련 시인의 또 하나의 예술적 작품이 세상에 그 아름다운 탄생의 소식을 전합니다.

시와 그림, 언어예술과 색채예술을 이끌며 저 먼 광야를 힘차게 달리시길 바랍니다.

감사합니다